KB105022

길을 잃은 대한민국
어디로 가야 할까요

챗 GPT에 물었습니다

이광재

길을 잃은 대한민국 어디로 가야할까요
챗 GPT에 물었습니다

발행 | 2024년 3월 30일
저자 | 이광재
디자인 | 어비, 미드저니
편집 | 어비
펴낸이 | 송태민
펴낸곳 | 열린 인공지능
등록 | 2023.03.09(제2023-16호)
주소 | 서울특별시 영등포구 영등포로 112
전화 | (0505)044-0088
이메일 | book@uhbee.net

ISBN | 979-11-93116-67-8

www.OpenAIBooks.shop

길을 잃은 대한민국
어디로 가야할까요

챗 GPT에 물었습니다

이광재

목차

5장 기술혁명을 선도하는 대한민국

- '주니어 노벨상' 프로젝트를 통해 지식기술강국으로
- 세계적인 벤쳐컨벤션을 개최합시다.
- 7000개 글로벌 기업의 아태지역 본부 및 R&D 센터를 한국으로
- 기술에 투자하는 혁신투자은행이 필요합니다.

6장 전쟁 같은 삶을 끝내기 위해 정치는 무엇을 해야 할까요?

- 삶의 질 지표 개발이 필요합니다.
- 정치인 평가 성적표를 제안합니다.
- 좋은 정치인이 들어와야 합니다.
- 국회 회기중에는 지역구에 가지 말아야 합니다.
- 600조 예산으로 일, 집, 교육 문제를 해결!
- 인사가 만사입니다.
- 말이 법이 되는 정치가 되어야 합니다.
- 국가가 국민을 두려워 해야지, 국민이 국가를 두려워 해서는 안됩니다.
- 국가를 설계할 싱크탱크가 필요합니다.

에필로그 : 정치만 잘하면 됩니다.

머리말

지난 세기, 대한민국은 놀라운 산업화와 민주화의 성과를 거두며 국제사회에서 주목받는 국가로 성장해왔습니다. 그러나 오늘날의 대한민국은 더 나은 미래를 향한 방향을 찾지 못한 채, 성장의 과실을 흔들리게 하고 있습니다. "길을 잃은 대한민국 어디로 가야 할까요: 챗 GPT에 물었습니다"는 이러한 국가적 고민에 대한 새로운 시각을 제시하고, 챗 GPT를 통해 얻은 다양한 의견과 지혜를 통해 대화를 펼치고자 하는 도전의 책입니다.

우리는 경제적으로는 번영하고 있지만, 그에 반비례하여 국민들의 삶의 질은 개선되지 않고 있습니다. 세계 10위 경제국가로서의 위상에 걸맞지 않게 국민들의 행복과 안녕이 뒷전에 밀려있는 현실에 직면하고 있습니다. 경제의 불확실성, 미래의 불투명성, 그리고 갈등과 불평등이 국가를 향한 도전과제로 우뚝 서 있습니다.

이 책은 과거의 성공과 현재의 어려움에 직면하여, 대한민국이 어디로 나아가야 하는지에 대한 의문을 던지고자 합니다. 이 책은 대한민국의 운명을 고민하는 독자들에게 새로운 아이디어와 지적인 자극을 제공하고, 함께 나아갈 방향에 대한 토론의 장을 열 것입니다. 함께 고민하고, 함께 나아가기 위한 출발점으로 이 책을 펼쳐봅시다. 대한민국은 과연 어디로 가야 할까요? 챗 GPT에 물어보는 시간이 시작됩니다.

<본 도서는 챗GPT와 클로바 엑스, 빙을 사용하여 글쓰기를 했습니다. 저자의 강연자료에 쓰였던 슬라이드 이외의 그림은 마이크로소프트 빙의 이미지 크리에이터를 사용하였습니다.>

저자 소개

이광재는 대한민국의 정치인입니다.

연세대 재학 시절 학생 운동가로 활동했으며, 이후 정계에 입문해 노무현 정부 대통령비서실 국정상황실장, 제35대 강원도지사와 제17·18·21대 국회의원을 역임하였습니다. 다양한 행정, 정치, 외교 경험을 두루 갖춘 인물로 평가받고 있습니다.

제 35대 대한민국 국회 사무총장으로 국회의 사무를 총괄하는 역할을 수행했습니다.

2024년 현재 국회의원선거 분당갑에 출마하였습니다.

01
대한민국은 어디로 나아가야 할까요?

지난 세기, 대한민국은 산업화와 민주화를 성공적으로 이룬 국가가 되었습니다. 이제 대한민국은 어디로 나아가야 하는 걸까요? 오늘날의 대한민국은 '성공한 국가, 위기의 국민'이라는 모순에 놓여 있습니다. 경제 선진국으로의 발전하며 국가는 부유해 졌습니다. 그러나 국민들의 삶의 질에 있어서는 기대에 못 미치고 있습니다. 세계 10위권 경제를 가지고도 OECD 삶의 질 평가에서는 32위에 그치는 것이 현실입니다. '경제 선진국, 행복 후진국'이라는 진단이 무색하지 않습니다. 국가 발전과 진화에 비해 국민 생활의 진보를 이루어 내지 못했습니다.

성공한 국가, 위기의 국민

경제선진국

행복후진국

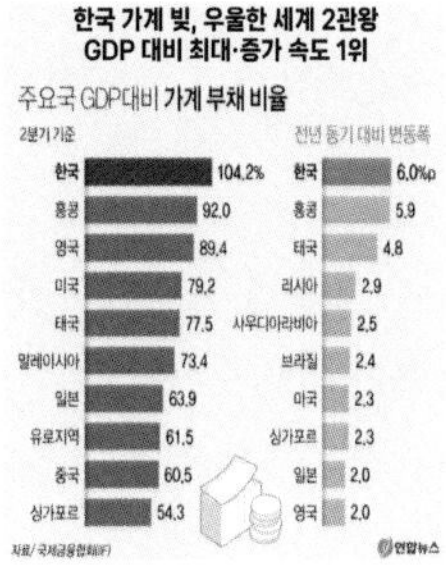

G5냐 G20이냐, 기로에 섰습니다.

더욱이 경제 전망마저 밝지 않습니다. 2005년, 골드만삭스의 전세계경제전망 보고서는 한국이 2050년이면 1인당 GDP가 가장 높은 나라이자 G5 국가로 부상할 것이라고 예측했습니다. 2000년대 초반, 골드만삭스는 한국 경제가 높은 성장률을 유지할 것으로 전망했습니다. 이는 당시 한국이 외환위기를 극복하고, IT 산업이 발전하면서 경제 성장을 이끌었기 때문입니다. 그러나 2022년 보고서에서는 한국 경제가 2050년이 되면 전세계 20위 권으로 추락할 것으로 예측했습니다. 20여년 사이 글로벌 경제는 불확실성이 더해졌고 한국 사회는 고령화와 저출산 문제가 심각해 졌습니다. 주요 수출국이었던 중국의 경제 성장 둔화의 영향도 있습니다.

최근 발표된 장기 전망들은 더욱 암울합니다. 한국 경제가 저성장과 양극화가 계속되고 있으며, 65세 이상 노인 비율이 현재 17%에서 2040년에는 36%로 늘어날 것이라는 보고도 있습니다. 경제협력개발기구(OECD)는 2040년이 되면 한국 경제성장률이 0.2%로 낮아질 것으로 보았습니다. 한편으로 국가부채는 계속 늘어 2040년에 GDP의 100%를 넘을 것으로 예측됩니다. 산업화의 성공으로 이룩한 세계 10위권의 경제가 위태롭습니다.

- 민주주의가 위기에 처했습니다.

동시에 한국은 민주주의의 위기에 직면하고 있습니다. 우리는 과연 민주주의자라고 자신할 수 있을까요? 2021년 영국의 킹스칼리자와 여론조사기관인 입소스가 진행한 갈등지수 조사 결과는 충격적입니다. 전세계 28개국 시민을 대상으로 진행한 조사에서 12개 항목 중 6개 항목에서 한국은 '심각하다'고 응답한 비율이 1위 였습니다. 지지정당, 빈부격차, 성별, 세대차이, 교육과 지역에 있어 심각한 갈등을 느낀다는 결과입니다.

도전받는 민주화 - 갈등지수 세계 1위

2021. 영국 킹스칼리지-입소스, 갈등지수 조사
전세계 28개국 시민 2만 3천여 명을 대상, 12개 갈등 항목에 대해 얼마나 심각하다고 느끼는지를 조사

한국은 6개 항목에서 '심각하다'고 응답한 비율이 1위

항목	순위	비율	평균
지지정당 차이로 인한 갈등	1위	91%	(28개국 평균 69%)
빈부격차에 따른 갈등	1위	91%	(28개국 평균 74%)
계층 간의 갈등	2위	87%	(28개국 평균 65%)
성별 간 갈등	1위	80%	(28개국 평균 48%)
세대간 갈등	1위	80%	(28개국 평균 46%)
교육 격차로 인한 갈등	1위	70%	(28개국 평균 47%)
지역간 갈등	1위	78%	(28개국 평균 57%)

"사회적 갈등 개선하면 성장률 0.3%P ↑"

(현대경제연구원,2016)

OECD 조사에 따르면 한국은 비정규직 비율에서 2위(21년), 소득불평등에서 7위(20년), 계층 이동성에서 82개국 중 25위(20년)에 해당하는 수치를 기록하고 있습니다. 민주화 되었으나 개인의 삶은 팍팍하고 기회의 사다리는 닫혔습니다. 민주주의의 성공이 국민 행복으로 이어지지 않은 현실을 가리키는 지표들입니다.

이러한 현상은 성장과 행복의 조화를 찾지 못한 결과입니다. 김영삼 정부의 세계화, 김대중 정부의 제2의 건국, 노무현 정부의 참여정부, 이명박, 박근혜, 문재인, 윤석열 정부에 이르기까지 모든 정권이 성공의 신화를 꿈꾸며 나아갔습니다. 그러나 정작 국민 생활의 진보를 이루지 못했습니다. 그동안의 정책에서는 산업화와 민주화가 목적 자체로 채택되면서 국민을 중심으로 한 삶의 질을 향상하는 데까지 관심이 미치지 못했습니다. 성장과 복지의 선순환 구조를 찾지 못하면서 국민을 잊어버리고 말았습니다. 경제적 성장을 중시하면서도 이를 지탱하는 복지 정책의 본질적인 문제를 해결하지 못한 채 현금 지원성 정책에만 집중하고 있습니다. 이제 기존의 정치적인 시도와 경제 성장에 대한 새로운 고민이 요구되고 있습니다.

대한민국의 현재 상황은 '경제 선진국, 행복 후진국'이라고 진단할 수 있을 것입니다. 산업화 민주화 이후,어느 방향으로 나아가야 하는지에 대한 국민과 지도자 간의 합의가 뚜렷하지 않은 것이 현재의 위기입니다.

그런데 현재 대한민국이 직면한 문제들은 전 세계적 국가들이 공통으로 맞닥뜨린 도전이기도 합니다. 많은 사회에서 나타나는 불평등, 민주주의의 위기, 환경 파괴, 기술 발전에 따른 혼란은 우리 뿐만 아니라 많은 국가들이 공유하는 문제입니다. 경제 선진국이라 할지라도 삶의 질은 뒤쳐지는 현상은 국경을 넘어서 모든 국가에서 고민하는 주제입니다. 이러한 공통된 문제들은 우리가 함께 새로운 길을 찾아가야 할 이유를 더욱 강조합니다. 대한민국은 자신의 문제를 해결하면서 동시에 세계적인 도전에 기여할 수 있는 기회를 마련해야 합니다.

02
국가와 국민이 함께 부강하려면 인류의 문제를 해결하는 능력이 있어야 합니다.

대한민국이 다시 도약하기 위해서는 미래 변화의 핵심요인들에 어떻게 대응하느냐가 중요합니다. 이러한 변화는 인류가 공통으로 직면한 과제라는 특징이 있습니다. 한국의 미래를 준비하는 것은 인류가 공통으로 직면한 도전들을 해결해 나가는 데에 기여하는 일이기도 합니다.

인류가 직면한 도전들

현재 인류는 크게 4가지의 본질적 변화와 도전을 마주하고 있습니다.

첫째, 디지털 전환입니다. "디지털 시대에는 상위 10% 기술을 가진 경제 주체만 살아남을 것이다." 글로벌 금융위기를 예견한 '닥터 둠'의 저자, 누리엘 루비니 교수가 한 말입니다. 디지털 시대의 발전은 우리 삶에 혁명적인 변화를 가져왔습니다. 그러나 이 변화는 플랫폼 독점화와 인공지능의 발전이라는 양날의

검에 직면하고 있습니다. 생산성 향상, 혁신 촉진, 경제 성장 촉진 등 다양한 이점을 제공하지만, 동시에 사회적 불평등 증대, 직업의 소멸, 개인정보 보호 등의 문제를 야기할 수 있습니다. 일상 속에 스며든 인공지능은 인간이 만든 선악과일지도 모릅니다. 이에 우리는 디지털화가 가져오는 위험에 대한 경각심을 갖고, 적절한 대응책을 모색해야 합니다

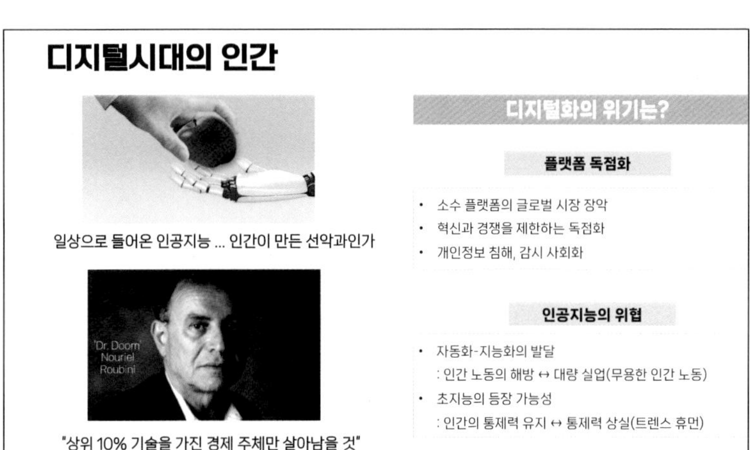

둘째, 기후 위기입니다. 기후 위기는 지구 온난화와 기후 변화로 인한 심각한 환경 문제를 말합니다. 이는 홍수, 가뭄, 폭염 등 극단적 기상 현상 증가, 해수면 상승, 생물 다양성 감소, 질병의 창궐 등을 통해 인류의 생존과 발전에 직접적인 위협을 가하고 있습니다. 몰디브는 이러한 기후 위기의 피해를 가장 직접적으로 경험하는 국가 중 하나입니다. 해수면 상승으로 인

해 전체 국토의 절반 이상이 침수될 위험이 있으며, 이는 국가의 존속 자체를 위협하고 있습니다.

셋째, 수명 100세 시대의 도래입니다. 과학 기술의 발전과 보건 의료 서비스의 향상으로 인해 인류의 평균 수명이 크게 늘어나고 있습니다. 이는 고령화 사회, 노동력 감소, 연금제도 부담 등 다양한 사회 경제적 문제를 야기하고 있습니다. 일본은 이러한 문제를 가장 먼저 직면한 국가 중 하나입니다. 고령화로 인해 노동력이 감소하고, 연금과 의료비 부담이 증가하였으며, 이는 일본 경제의 잠재 성장률을 떨어뜨리는 원인 중 하나가 되었습니다.

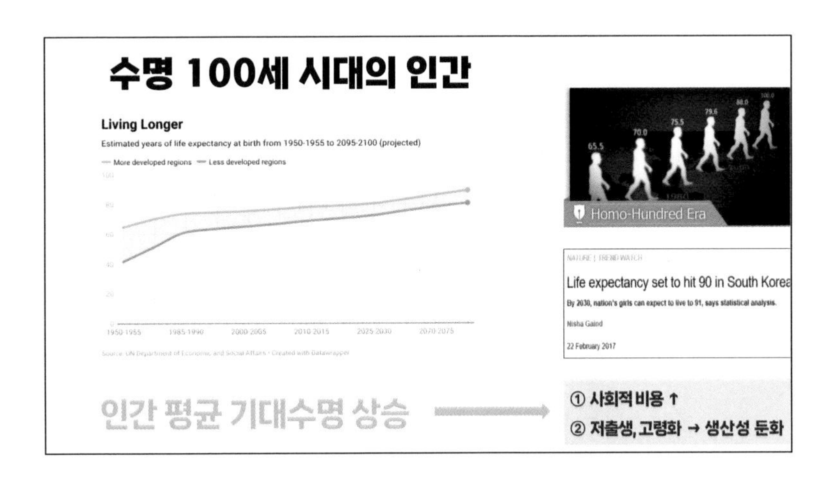

마지막으로, 미중 경쟁의 심화입니다. 미국과 중국은 각각 세계에서 가장 큰 경제대국입니다. 두 국가 간의 경쟁은 글로벌 경제와 정치에 큰 영향을 미치고 있습니다. 이는 무역 전쟁, 기술 경쟁, 지역 갈등 등 다양한 형태로 나타나며, 세계 각국이 이에 대응하면서 다양한 영향을 받고 있습니다. 한국 역시 미중 경쟁의 영향을 직접적으로 받는 국가 중 하나입니다. 한국은 미국과의 안보 동맹과 중국과의 무역 관계 사이에서 균형을 유지하려고 노력하고 있으며, 이는 대외 정책에 큰 영향을 미치고 있습니다.

네 가지 도전은 국경을 넘어 인류 전체에 영향을 미치는 공통된 문제입니다. 대한민국은 이러한 문제들을 해결하기 위한 국제적인 협력의 중심에 서야 합니다.

과거에도 글로벌 이슈에 대한 효과적인 대응을 보인 국가들이 존재했습니다. 18세기 영국은 산업혁명을 이끌며 세계 제국으로 발전했습니다. 새로운 기술과 생산 방식을 통해 경제적으로 번영하면서 동시에 제국으로서 세계적인 영향력을 행사하였습니다. 생산방식의 획기적인 혁신은 근대의 경제활동을 바꾸어 새로운 문명을 제사하였습니다.

이처럼 한 국가의 부상은 글로벌 도전에 대응하기 위한 중요한 요소가 될 수 있습니다. 이는 인류 전체에 이로운 기여를 할 수 있는 국가가 되어야 함을 의미합니다. 이를 통해 대한민국은 새로운 미래로 한 걸음 더 나아갈 것입니다. 다음부터는 이를 위한 구체적인 과제들을 제안하고자 합니다.

03
일자리는 교육 혁신에서 시작됩니다.

- 성장과 쇠퇴의 열쇠는 교육입니다.

"국력은 경제력에서, 경제력은 기술력에서 나온다." '강대국의 흥망'을 저술한 폴 케네디 교수의 말입니다. 저는 이 기술력의 근간이 교육이라고 생각합니다. 교육은 우리 사회의 핵심적인 요소입니다. 그것은 개인의 능력을 향상시키고, 사회의 발전을 촉진하며, 미래의 변화에 대비하는 데 필수적인 도구입니다.

우리는 현재 '총체적 기술 혁명'의 시대에 살고 있습니다. 디지털 기술의 발전은 우리의 삶을 근본적으로 바꾸고 있습니다. 이러한 변화를 이끌어 나갈 수 있는 사람들은 좋은 교육을 통해 양성된 사람들입니다.

레이 달리오의 자신의 저서 '변화하는 세계 질서'에서 제시한 패권 국가의 사이클을 제시하였습니다. 이 사이클에 의하면 제국의 부상과 쇠퇴에는 교육과 기술이 선행해서 진행됩니다. 교육은 패권 국가의 사이클에서 중요한 역할을 합니다. 교육은 인재를 양성하고, 지식을 전달하며, 문화를 전파합니다. 이를 통해 패권 국가의 사이클을 유지하고, 새로운 패권 국가의 부상을 막을 수 있습니다.

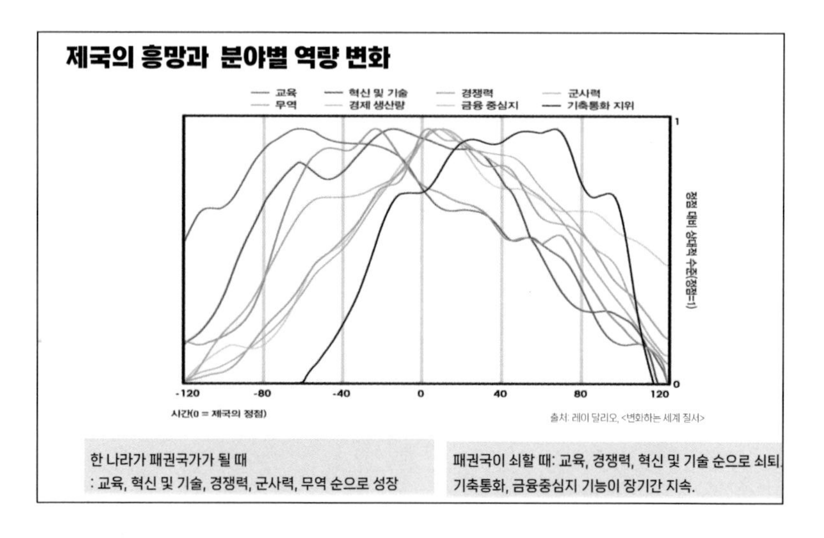

- 에스토니아 대통령들이 알려준 교육 혁신의 비밀

인재를 키우지 못하면 한국의 미래는 없습니다. 디지털 시대를 선도할 미래 인재를 키워야 합니다. 디지털 선도국가 에스토니아의 역대 대통령 두 분에게 성공 비결을 물어볼 기회가 있었습니다. 그들은 "수학, 컴퓨터, 2개 이상의 외국어 세 가지를 집중적으로 가르쳐야 한다"라고 조언해 주었습니다. 그리고 "독서와 체육, 토론 교육이 기본"이라고 강조했습니다.

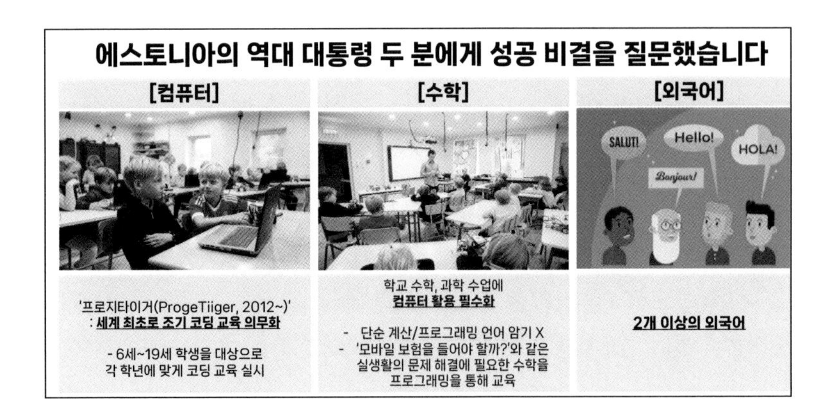

우리는 교육을 통해 개인의 능력을 향상시키는 것뿐만 아니라, 사회적인 지원 체계를 강화하여 모든 사람이 그 기회를 누릴 수 있도록 해야 합니다. 이것이 바로 교육의 진정한 가치입니다. 이것이 바로 교육의 중요성을 강조하는 이유입니다.

- EBS '위대한 수업'을 아시나요?

EBS의 교육콘텐츠 '위대한 수업, 그레이트마인즈'를 아시나요. 2020년 국회 대정부질의에서 세계 최고의 교육 플랫폼을 통해 지식을 무제한 공급할 수 있는 '교육판 넷플릭스'를 만들자고 제안하였습니다. 당시 제가 위원장을 맡고 있던 더불어민주당 디지털뉴딜위원회와 기획재정부, 교육부가 함께 '교육판 넷플릭스' 사업에 대해 논의를 시작하여, EBS가 공동투자자로 제작에 참여했습니다. 2021년 총 45명의 세계적 석학을 선정해 시즌 1을 시작했습니다. '위대한 수업'은 디지털 시대에 발맞춘 교육 혁신의 일환으로 손쉬운 접근성과 맞춤형 학습 경험을 제공합니다. 이는 전통적인 교육 방식을 넘어 학습자 중심의 혁신적인 교육을 시도하고 있습니다. 이 프로젝트를 통해 저는 지식을 무제한으로 공급하는 새로운 형태의 교육 경험을 제공하고자 했습니다. 학생들은 자신의 관심사에 맞춰 세계적인 석학들의 강의를 시청할 수 있으며, 이는 학습의 폭을 확장하고 다양한 분야에서의 지식 습득을 도모할 수 있습니다. 모든 국민들에게 최고의 지식을 아낌없이 제공할 때, 한국의 미래는 밝아진다고 생각합니다.

국가의 미래 전략은 무엇보다도 사람에서 출발해야 합니다. 시대적 과제들을 해결하기 위해 최고의 지식이 모여 실험하고 도전하는 장을 제공해야 합니다. 좋은 인재들은 다양한 분야에서 최고의 전문성을 지니며 국가의 혁신과 경쟁력을 높이는 원동력으로 작용합니다. 인재는 새로운 아이디어와 혁신을 가져오며, 지식과 경험을 통해 국가의 경제, 문화, 기술 발전에 크게 기여합니다. 그들의 역량과 창의성은 국가와 사회를 건강하게 만들어 주는 열쇠입니다.

04
전세계가 살고 싶은 대한민국

세계가 급변하는 디지털 시대, 한국이 행복선진국으로 발돋움하기 위해서는 전세계가 사랑하는 나라로 거듭나야 합니다. 이는 단순한 경제적 성과 뿐만 아니라, 문화, 인권, 혁신, 그리고 국제 협력 등 다양한 영역에서 나라의 이미지를 높이고 국제사회에서 긍정적으로 인식되어야 함을 의미합니다.

- CNN 인터내셔널 본사가 서울에 온다면

사랑받는 나라가 되기 위해서는 문화적 다양성을 존중하고 포용하는 태도가 필요합니다. 각양각색의 문화, 언어, 종교 등을 존중하며 상호 이해와 협력을 촉진해야 합니다. 이를 통해 세계 각지에서 다양한 인구들이 나라를 방문하고 교류하며 나라의 풍요로움을 누릴 수 있습니다.

이를 위해, 먼저 CNN 인터내셔널 본사 유치를 제안합니다. CNN 인터내셔널은 미국의 케이블 텔레비전 뉴스 채널인 CNN의 국제 버전으로, 전 세계에서 뉴스 및 정보를 제공하고 있는 선두적인 미디어 기관 중 하나입니다. CNN은 강력한 디지털 플랫폼을 보유하고 있으며, 웹사이트, 모바일 애플리케이션, 소셜 미디어 등을 통해 다양한 형식의 콘텐츠를 제공하고 있습니다. 이는 다양한 세대와 플랫폼에서 뉴스에 접근할 수 있도록 하는 중요한 요소입니다.

한국에는 이미 뉴욕 타임즈 인터넷판 본부가 이전한 바 있습니다. 뉴욕 타임즈가 인터넷판 본부를 한국으로 이전한 배경에는 한국의 디지털 기술 혁신 및 미디어 산업의 성장이 큰 역할을 했습니다. 한국은 빠르게 발전하는 디지털 환경에서 선두를 달리며 글로벌 미디어 기업들에게 주목받고 있습니다. 이로써 한국은 글로벌 미디어 산업의 중심지로 부상하게 되었습니다. 이러한 흐름을 CNN 인터내셔널 본사 유치에 활용할 수 있습니다. CNN 인터내셔널 본사를 유치한다면 한국은 글로벌 뉴스 및 미디어 산업의 중심지로 부상할 것입니다. 이는 국제적인 뉴스의 중요성을 한층 높여 국제사회와의 소통 강화에 기여할 것입니다.

-유엔 아시아 지역 본부를 한국으로.

인류 공통의 문제를 해결하고 지속 가능한 미래를 위해 국제기구의 중요성이 더욱 강조되고 있습니다. 이에 따라 국가들는 글로벌 인재를 유치하고 국제 기구를 자국에 유치함으로써 세계적인 협력과 평화를 촉진하고자 노력하고 있습니다.

대표적인 성공사례인 스위스 제네바는 많은 국제 기구들이 위치한 도시입니다. 스위스의 정치적 중립성, 안정된 정치 환경, 예측 가능하고 안정된 사회적 환경 등이 국제 기구들이 선택하는데 큰 이유로 작용하고 있습니다. 또한 스위스는 국제 기구 유치를 위해 다양한 인센티브 정책을 마련하고 있습니다. 특권 및 면제와 같은 혜택은 국제기구의 유치와 지원을 위한 별도의 법률로 제정되어 있으며, 이를 통해 효과적으로 인재를 유치하고 있습니다. 이러한 혜택은 세금 면제와 세금 감면 정책을 포함하고 있습니다.

스위스 사례에서 알 수 있듯이 국제기구 유치는 한 국가의 개방성과 안정성을 상징하기도 합니다. 특히, 유엔의 지역 본부가 어디에 위치하느냐는 그 국가의 국제적 영향력을 크게 좌우할 수 있습니다. 현재 유엔 본부는 뉴욕에 있습니다. 동시에 제네바, 빈, 나이로비에 지역본부 사무소를 두고 있습니다. 이들 지역본부에는 유엔의 다양한 기구와 프로그램이 집중되어 있으며, 해당 국가들은 이를 통해 국제적인 영향력을 키우고 있습니다.

유엔의 아시아 지역 본부를 한국에 유치하면 국제적인 영향력이 증대될 것입니다. 유엔은 국제 정세에서 중요한 결정을 내리고 국가 간 협력을 촉진하는 중요한 역할을 하고 있습니다. 한국이 유엔의 중요한 지역 본부를 보유함으로써 한반도 정세뿐만 아니라 아시아 전역에 걸친 다양한 이슈에 대해 더욱 적극적으로 참여할 수 있을 것입니다.

유엔의 본부가 위치한 지역은 그 규모와 중요성에 비례하여 경제적인 파급 효과를 낳습니다. 유엔의 아시아 지역 본부가 위치하게 된다면, 해당 지역의 경제적 활성화가 기대될 것입니다. 국제 기구의 본부가 위치한 도시는 전세계적으로 다양한 회의와 행사가 개최되기 때문에 이는 관련 산업의 성장과 일자리 창출로 이어질 것입니다.

-한국어의 유엔 공식언어 채택을 추진합시다.

세계가 급격한 변화와 글로벌화의 흐름에 휩싸이는 지금, 언어의 역할은 더욱 중요해지고 있습니다. 소프트 파워는 국가의 영향력을 쌓고 세계적인 인식을 형성하는 데 결정적인 역할을 합니다. 특히, 한국어의 세계적 확산은 대한민국이 가지고 있는 소프트 파워의 한 축으로 떠오르고 있습니다.

이러한 기운에 힘입어 한국어를 유엔의 일곱 번째 공식언어로 지정하는 것을 추진해 봅시다. 인스타그램에서 한국어 관련 해시태그가 갖는 화제성은 한국 문화의 글로벌한 인기를 증명하는 하나의 지표입니다. 한국어를 사용한 게시물이 수백만 건에 이르는 것은 한류 문화의 세계적인 파급력을 증명하는 동시에, 한국어가 다양한 컨텐츠와 함께 글로벌 소셜 미디어 플랫폼에서 강력한 소통 수단으로 작용하고 있다는 것을 보여줍니다.

특히 방탄소년단을 비롯한 한국어 콘텐츠의 성공과 팬덤의 확산은 한국어 교재의 확산에도 일조하고 있습니다. 팬덤은 언어를 넘어 문화와 감정을 공유하는 공동체를 형성하는데, 이는 소프트 파워를 통한 글로벌 영향력으로 이어집니다.

유엔은 국제사회의 다양성을 존중하고 강화하기 위한 원칙을 지향합니다. 한국어의 공식언어 지정은 이 다양성을 확장시키는 한 단추로 작용할 것입니다. 세계 각국에서 사용되는 다른 언어들과 함께 한국어가 공식언어로 인정되면, 문화적, 언어적 다양성을 존중하고 세계 각 지역에서 이해와 소통을 증진시킬 것입니다.

또한 한국어의 공식언어 지정은 유엔 내에서의 국제 협력 및 문제 해결 능력을 향상시킬 수 있습니다. 언어는 국제 협상에서의 효과적인 의사소통의 핵심입니다. 한국어의 공식언어 지정은 한국이 국제 논의 및 협상에서 더욱 효과적으로 참여하고 의견을 제시할 수 있게 도와줄 것입니다.

-이민자들의 꿈이 성공하는 코리안 드림의 나라

한국은 다문화 시대로의 전환에 빠르게 발맞추고 있습니다. 다문화 가구의 증가, 감소하는 청소년 인구 대비 다문화 학생의 증가 등 다양한 변화가 발생하고 있습니다. 이민자들의 꿈이 성공으로 이끄는 나라로 거듭나기 위해, 우리는 지역별, 권역별 특성화대학의 설립을 통해 실질적인 지원과 교육 기회를 제공해야 합니다.

다문화 가구의 증가는 한국 사회의 다양성을 반영하고 있습니다. 2020년 현재 다문화 가구는 일반 가구의 1.8%인 37만 가구입니다. 2015년 대비 2020년 다문화 가구의 증가율(22.9%)은 일반 가구 증가율(9.5%)보다 2.4배 빠르게 늘어나고 있습니다. 청소년 인구 역시 감소 추세에 있으나 다문화 학생은 10년새 3배나 증가했습니다. 앞으로 자라나는 젊은이들에게 다문화사회는 새로운 일상이 될 것입니다.

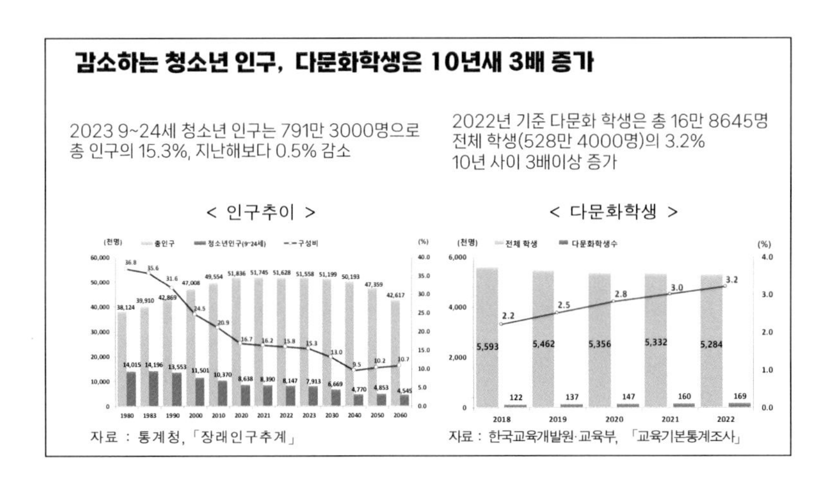

이러한 한국사회의 변화를 안정적으로 이끌기 위해서는 다문화 사회를 수용하는 사회적 분위기가 필수적입니다. 또한 이민자들의 꿈과 열정을 지원하기 위한 교육도 필요합니다. 지역별, 권역별로 다문화인구를 위한 특성화대학을 설립하는 것은 중요한 선택입니다. 이러한 대학은 해당 지역의 다문화 가구를 중심으로 학문과 문화를 발전시킬 수 있는 플랫폼을 제공할 것입니다. 예를 들어, 부산대학교 밀양캠퍼스를 베트남 특성화 대학으로 지정한다면 현지 다문화 가정 학생들을 위한 교육은 물론이고 이들의 지역 전문가 양성에 기여할 것입니다.

05
기술혁명을 선도하는 대한민국

21세기, 기술혁명은 세계를 빠르게 변화시키고 있습니다. 이 변화에 발맞추지 못하는 국가들은 뒤처지고, 혁신적인 기술을 적극적으로 채택하는 국가들은 미래의 선두주자로 우뚝 설게 됩니다. 1차 산업혁명에 실패했던 한국은 중화학공업 발전 전략을 통해 2차 산업혁명에 성공했습니다. 이후 2000년대 초반의 IT 혁명 시기 정보통신분야에 대한 과감한 투자를 통해 IT강국으로 거듭났습니다. 디지털전환이 중심이 된 4차 산업혁명에 성공하기 위해서는 획기적인 기술혁신 및 지원 정책이 필요합니다.

'주니어 노벨상' 프로젝트를 통해 지식기술강국으로

기술혁명은 무엇보다도 사람에서 출발해야 합니다. 시대적 과제들을 해결하기 위해 최고의 지식이 모여 실험하고 도전하는 장을 제공해야 합니다. 좋은 인재들은 다양한 분야에서 최고의 전문성을 지니며 국가의 혁신과 경쟁력을 높이는 원동력으로 작용합니다.

스웨덴은 노벨상위원회를 중심으로 한 지식허브 형성을 통해 세계적 인재의 유치를 성공적으로 이루어 낸 국가 중 하나입니다. 스웨덴은 노벨과학상과 노벨 의학상을 결정하는 왕립 과학한림원과 카롤린스카 의대이 있습니다. 두 기관은 관련 분야의 최고 전문가들이 상주하는 핵심 기관으로 작용합니다. 이들은 연중 상주하며 노벨상 선정 후보자들의 연구 성과를 발표하는 등 꾸준한 교류를 통해 다양한 인재 데이터베이스를 축적하고 있습니다. 이러한 누적된 데이터베이스는 2만 7천여 건에 달한다고 합니다. 이는 지식의 축적과 교류의 중요한 밑거름이 됩니다. 이를 바탕으로 예테보리 사이언스 파크는 노벨상 후보 연구진들과 연중 상시 교류하고 미래핵심 기술을 협력하는 지식 플랫폼으로 성장했습니다. 세계의 젊은 지식이 모이는 나라 대한민국이 되어야 합니다. 이를 위해 '주니어 노벨상' 프로젝트를 제안합니다. 세계적인 젊은 인재들이 지식을 교류하고 함께 성장하는 터전을 한국이 제공하는 것입니다. 주니어 노벨상 위원회를 통해 국내외 우수한 연구자들의 발굴이 가능해집니다. 학부 및 대학원 수준에서부터 빛나는 두뇌를 지원하고, 다양한 분야의 연구에 참여할 수 있는 기회를 제공함으로써 인재의 육성이 이루어집니다. 예를 들어, 미래 인공지능 기술에 기여할 수 있는 우수한 학생들은 주니어 노벨상 위원회를 통해 찾아내어 교육 및 연구 활동을 지원받을 수 있습니다. 또한 주니어 노벨상 수상자들은 다양한 나라의 동료들과 함께 프로젝트를 수행하고 국제적인 연구 협력을 이끌어낼 것입니다.

-세계적인 벤처 컨벤션을 개최합시다.

한국이 더 높은 수준의 경제 발전과 혁신을 이루기 위해서는 전세계적인 기술 창업 생태계를 활성화시킬 필요가 있습니다. 이를 위해 한국에서 전세계 인재들이 모이고 혁신적인 기술 아이디어를 공유하며 발전하는 기술 창업 컨벤션을 개최하는 것을 제안합니다.

기술 창업 분야의 도전적인 인재들이 모이고 협력하는 환경을 조성하는 것은 더 높은 수준의 발전을 이루는 데 있어 핵심적입니다. 프랑스는 과감함 기술창업 지원 정책을 통해 창업국가로 거듭나고 있습니다

먼저, 프랑스는 글로벌 기업의 유치와 일자리 창출을 위해 주최하는 Choose France 포럼을 통해 도전적이고 창의적인 인재들을 모으고 있습니다. 이 행사는 대통령 주도로 베르사유 궁전에서 개최되며, 세계 경제 리더들을 초청하여 투자를 유도하고 투자를 저해하는 요소들을 제거하는 등의 다양한 활동이 이루어집니다. 2018년부터 2020년까지 이어진 행사에서는 65억 유로 규모의 35개 프로젝트가 유치되었으며, 이는 프랑스의 경제 성장에 상당한 기여를 하였습니다.

프랑스의 대표적인 창업지원 정책은 라 프렌치 테크(La French Tech)이니셔티브 입니다. 라 프렌치 테크는 2013년부터 프랑스

정부가 주도해온 스타트업 육성 정책으로, 스타트업 생태계와 글로벌 네트워크 조성을 목표로 하고 있습니다. 프렌치 테크 티켓에 선정된 프로젝트에는 1년 동안 45,000유로의 자금과 무상의 사무 공간 제공, 멘토링 지원 및 근로 허가절차 간소화 혜택 등이 주어집니다. 이와 함께 스타트업 창업을 희망하는 외국인들에게 비자 발급 절차를 간소화하고 4년간의 체류를 보장하는 프렌치 테크 비자도 운영중입니다. 이러한 정책을 통해 프랑스는 총 81만 5,300개의 스타트업을 보유한 유럽최대의 스타트업 강국으로 자리매김하였습니다.

세계적인 벤처 스타트업 컨벤션을 개최합시다.

라 프렌치 테크

- 테크 강국 프랑스 이끄는 붉은 수탉
- 스타트업 생태계와 글로벌 네트워크 조성 목표
- 2013년부터 정부주도하에 진행

글로벌 벤처스타트업 컨벤션

- 인류가 보편적으로 사용할 기술 발굴
- 전세계 젊은이들의 기술교류

프랑스의 성공적인 모델을 통해 알 수 있듯이, 세계적인 인재 유치는 기술창업 생태계를 조성하고 다양한 혜택을 제공함으로써 가능해집니다 아시아의 실리콘밸리로 한국이 거듭나겠다는 각오를 가지고 과감한 지원 정책과 혁신을 추진해야 합니다.

-7000개 글로벌 기업의 아태지역 본부 및 R&D 센터를 한국으로

한국이 글로벌 경쟁력을 갖추기 위해서는 혁신적인 기술과 창의적인 아이디어를 촉진하고 국제적으로 성공한 기업을 유치해야 합니다. 이를 위해 한국이 글로벌 스타트업 생태계를 적극적으로 발전시키면, 다양한 효과를 기대할 수 있습니다.

먼저, 한국이 스타트업 생태계를 활성화하면 국내 청년들에게 창업에 대한 동기부여가 높아질 것입니다. 이스라엘의 경우, 스타트업 생태계가 활발하게 발전함에 따라 젊은이들이 창업에 도전하는 문화가 자리 잡았습니다. 한국에서도 스타트업이 적극적으로 지원되고 투자가 유도되면, 청년들은 더 많은 창업 기회에 도전하게 되어 새로운 비즈니스 아이디어와 기술을 세계에 알릴 수 있을 것입니다.

둘째로, 글로벌 기업들이 한국에 아시아태평양지역 본부를 설치하도록 과감한 인센티브를 제공해야 합니다. Google, Apple, Microsoft와 같은 다국적 기업들은 싱가포르를 기저므올 아시아 시장에 진출하고 있습니다. 글로벌 기업의 아시아태평양 지역 본부는 싱가포르(4200개), 홍콩 (1389개), 도쿄 (531개) 등에 집중되어 있습니다. 반면 한국의 경우 93개에 불과합니다. 압도적인 유치 실적을 유지하고 있는 싱가포르에서는 글로벌 혁신 및 생산성 증진이라는 효과를 거두었습니다. 글로벌 기업들이 아시아 시장의 거점으로 한국을 선택하기 위한 노력이 필요합니다.

아시아 다국적 기업의 허브 싱가포르

4,200개가 넘는 다국적 기업들이 싱가포르에 진출

**싱가포르를 아시아의 headquarter로 두어
다양한 아시아 국가에 진출해 있는 해외 다국적 기업**

Google, Apple, Microsoft 등 IT 기업 + P&G 등 다국적 기업
싱가포르를 기점으로 인도네시아, 베트남, 말레이시아 등에 진출
아시아 시장에서 빠르게 성장

**아시아 소재 다국적 기업 본부 7,000여개
싱가포르 4,200개, 홍콩 1,389개
한국 93개에 불과**

세 번째로, 스타트업에 대한 투자와 인프라 구축은 기술 혁신을 가속화시킬 것입니다. 이스라엘에는 글로벌기업의 연구 및 개발(R&D) 센터가 400여개 설립되어 있습니다. 이들은 기술 개발과 함께 이스라엘 스타트업에 대한 투자와 기업 인수를 통해 활발한 기술 혁신을 진행하고 있습니다. R&D센터들의 집적과 교류를 통해 활발한 투자 환경을 조성하면, 스타트업이 성공적으로 성장하고 발전할 수 있습니다. 이는 새로운 기술과 비즈니스 모델을 탄생시키며, 글로벌 시장에서 경쟁력을 확보하는 데 도움이 될 것입니다.

-기술에 투자하는 혁신투자은행이 필요합니다.

한국이 글로벌 경쟁에서 높은 위치를 차지하고 지속적인 발전을 이루기 위해서는 혁신적인 기업을 지원하고 육성하는 것이 중요합니다. 이를 위해 혁신투자은행을 설립하는 것이 필요합니다.

한국의 벤처투자 생태계는 아직 미흡한 상태입니다. 벤처기업은 높은 기술력과 창의성을 갖추고 있지만 자금 유치의 어려움으로 인해 성장을 제약받고 있습니다. 혁신투자은행은 민간 주도의 자생적인 벤처금융 생태계를 조성하여 혁신기업의 자금 확보를 지원함으로써 이 문제를 해결할 수 있습니다. 이를 통해 창의적인 프로젝트들이 빛을 보며 산업 전반에 긍정적인 파급 효과를 가져올 것입니다.

현재 우리나라의 금융기관들은 혁신금융 활성화에 적극적으로 나서지 않고 있습니다. 혁신투자은행은 이러한 부분을 보완하여 금융기관들이 혁신적인 금융 상품을 개발하고 지원할 수 있도록 돕습니다. 이를 통해 혁신기업은 보다 다양한 금융 지원을 받을 수 있으며, 금융 시스템 전반에 혁신의 바람이 불게 될 것입니다.

또한 혁신투자은행은 벤처금융에 대한 전문성을 가진 은행이어야 합니다. 이는 혁신기업들에게 기술에 대한 이해를 바탕으로 전문적이고 특화된 지원을 제공할 수 있게 할 것입니다

또한 혁신투자은행은 중간회수 시장을 활성화하여 투자금 회수를 용이하게 할 수 있습니다. 기존 벤처 스타트업 투자의 경우 혁신기업이 성장하더라도 투자금 회수가 어려운 경우가 많았습니다. 혁신투자은행은 이러한 회수 과정을 원활하게 지원함으로써 투자자들이 자금을 회수하는데 있어 더 많은 기회를 제공할 것입니다.

혁신투자은행은 M&A 를 통한 스타트업의 성장과 이윤 회수에 효과적입니다. 기술적 혁신을 이룬 기업들이 기술 탈취의 우려 없이 글로벌 기업에 인수될 수 있도록 지원할 수 있습니다.

한국이 글로벌 경쟁에서 앞서 나가기 위해서는 혁신적인 기업을 키우고 지원하는 환경을 조성해야 합니다. 혁신투자은행 설립은 이러한 목표를 달성하기 위한 중요한 도구로 활용될 수 있습니다. 벤처금융의 조성, 중간회수 시장의 활성화, M&A 지원, 금융기관의 혁신 지원 등을 통해 한국은 혁신의 중심지로 발전할 수 있을 것입니다.

06
전쟁 같은 삶을 끝내기 위해 정치는 무엇을 해야 할까요?

국가의 혁신과 미래전략의 최종 목적은 결국 국민을 행복하게 하기 위해서 입니다. 이러한 대한민국의 전략을 실행하기 위해 반드시 해결해야 할 과제가 있습니다. 바로 리더십의 문제입니다.

세종 대왕은 리더십의 근본을 정확히 꿰뚫었습니다. 그는 "나라의 근본은 백성이고 백성의 근본은 밥"이라고 했습니다. 리더는 국가 구성의 삶을 풍요롭게 안정되게 할 책임이 있습니다.

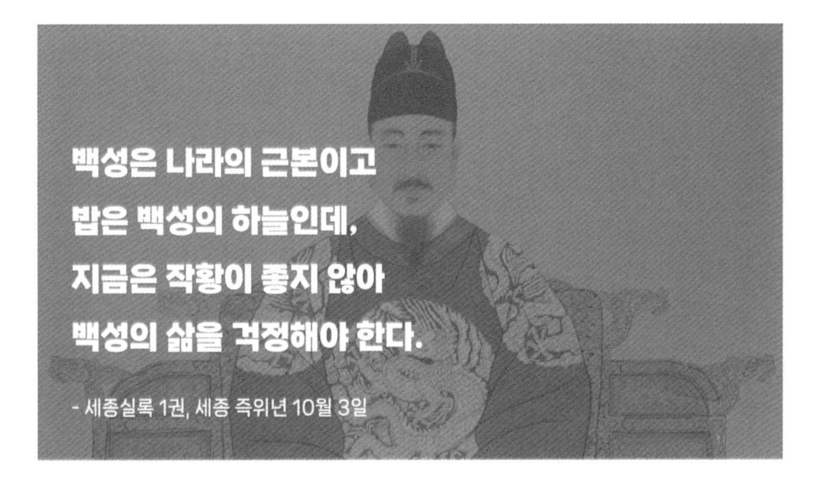

한 국가가 미래의 도전에 직면할 때 결정적인 역할을 하는 것이 리더십입니다. 리더십은 마치 선두에 서 있는 나침반 같은 역할을 합니다. 동시에 국가의 비전을 제시하고 결정을 이끌어가는 주역으로서 미래전략을 결정하는 데 있어서 마지막 단추라고 할 수 있습니다. 그렇다면, 정치는 과연 무엇을 해야 할까요?

-삶의 질 지표 개발이 필요합니다.

국가의 성장과 국민의 행복은 강하게 연결되어 있습니다. 그러나 앞서 살펴보았듯이, 대한민국은 국가의 성공이 국민 삶의 진보로 이어지지 못했습니다. 이제 국가의 발전 목표를 경제성장이 국민 삶의 측면에서 설정해야 합니다. 2009년, 사르코지 당시 프랑스 대통령의 요청으로 노벨 경제학상 수상자 조지프 스티글리츠와 아마르티아 센 등이 구성한 '경제 성과와 사회 진보 측정을 위한 위원회(스티글리츠 위원회)'는 삶의 질을 포괄하는 대안적 국민총생산 설계가 필요하다고 권고했습니다.

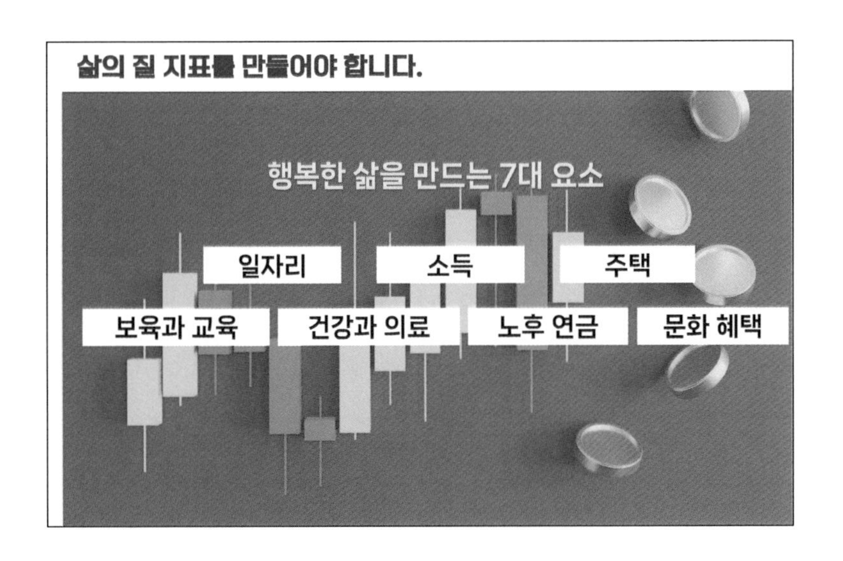

이제 삶의 질 지표 개발을 통해 국가와 국민의 성장 패러다임을 전면적으로 바꿔 나가야 합니다. GDP는 국가의 생산에 중점을 두고 있지만, 앞으로는 국민의 삶의 질을 평가할 때 생산만이 아니라 그 결과로 나타나는 삶의 질을 고려해야 한다고 주장합니다. 기존의 GDP 중심 목표 설정은 시장에서 거래되는 활동만을 반영하고 있어서 비시장적인 활동의 가치를 인정하지 못합니다. 스티글리츠 보고서는 이런 비시장적인 활동에도 경제적 가치가 있다고 주장하며, 이를 삶의 질 평가에 반영했습니다. 예를 들어, 가정 내에서의 노동이나 자원봉사와 같은 비시장적인 활동이 경제적 가치를 가질 수 있다고 주장합니다. 아울러 기존의 지표가 국민소득과 같은 평균적인 지표에만 주목한데 비해, 앞으로는 소득의 분배와 하위층의 삶의 질을 개선하는 데에도 주목해야 한다고 강조합니다.

삶의 질을 고려한 새로운 지표 도입은 기업, 정부, 그리고 개인의 활동에 있어서도 패러다임 변화를 가져올 것으로 예측됩니다. 기업은 사회적 책임과 영향을 고려하며 경영 전략을 수립해야 할 것이며, 소비자와 투자자도 환경 및 사회적 영향을 고려하여 의사결정을 내리게 될 것입니다. 이는 새로운 환경에서 영혼 있는 기업과 사회적으로 책임감 있는 개인이 성공할 수 있는 시대를 예고합니다.

-정치인 평가 성적표를 제안합니다.

국가의 성장과 국민의 행복은 강하게 연결되어 있습니다. 정치인이 국가를 이끌고 국민을 대표하는 역할에서 오는 책임은 막중합니다. 그러나 현재까지는 정치인의 성과를 측정하고 평가하는 구체적인 기준이 부족했습니다. 이제 정치인의 의정활동이 국민 삶과 국가 발전에 얼마나 이바지하는가를 평가하는 시스템이 필요합니다.

이를 위해 정치인 평가 성적표를 제안합니다. 정치인 평가 성적표는 GDP, 국민의 삶의 질, 사회통합 등 다양한 지표를 종합적으로 고려하여 정치인의 활동을 측정하고 평가하는데 필요한 체계를 제공합니다. 국가와 국민, 사회통합지수 등 3 대 지수를 중심으로 구체적인 지표를 작성해야 합니다. 이러한 지표들을 법으로 도입하고 언론 및 전문 기관의 참여를 통해 계량화하면 정치인의 성과를 더 명확하게 파악할 수 있을 것입니다.

국가경쟁력, 삶의 질로 정치인을 평가합시다.

정량적 평가로 정치인 성장 메커니즘을 만듭시다

< 국민 행복 평가 인덱스 >

국가 경쟁력	GDP, GRDP, 잠재성장률, 생산성
국민 삶의 질	일자리, 소득, 주거, 교육과 보육, 건강과 의료, 노후연금, 문화 혜택
사회 공동체	빈부 격차, 계층 이동성, 시위 건수, 소송 건수, 기후위기

평가 성적표의 도입은 정치 개혁의 기회를 제공합니다. 평가표가 도입되면 정치는 단순한 논쟁의 장이 아닌, 정치인들의 성과를 객관적으로 측정하고 개선하는 기록경기장으로 전환될 것입니다. 정치인들은 자신의 성적표를 향상시키기 위해 노력하게 되며, 국민들은 그들을 더 적극적으로 지지할 수 있을 것입니다.

- 좋은 정치인이 들어와야 합니다.

4 년마다 열리는 국회의원 선거에서 50%의 국회의원이 교체됩니다. 4 년마다 새로운 인재로 물갈이를 해도 국회에 대한 국민의 신뢰는 바닥입니다. 국민을 위해 일하는 좋은 인재가 국회로 들어와야 합니다. 좋은 인재의 참여로 인해 정치가 더 투명하고 효과적으로 운영될 수 있으며 국가 발전에 긍정적인 영향을 미칠 수 있습니다.

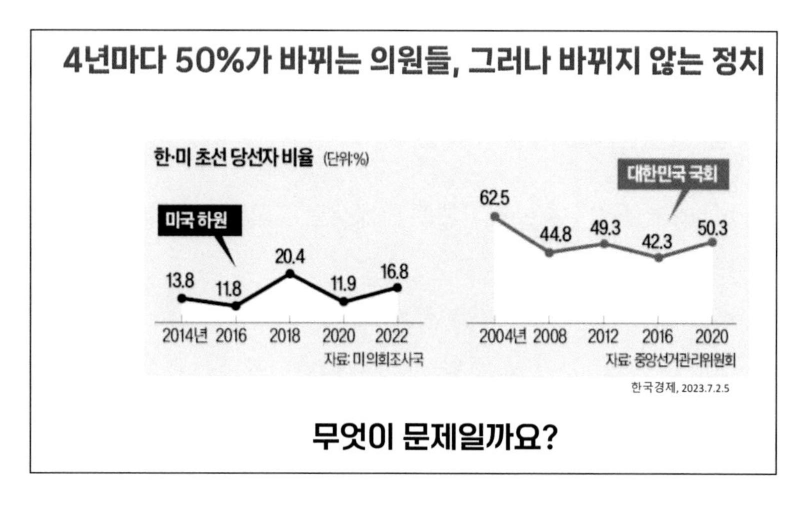

대한민국은 리더를 키우고 훈련시키는 시스템이 결여되어 있습니다. 국회의원부터 광역 및 기초지방자치단체의 리더이 의정활동을 위해 갖추어야 할 지식과 소양을 키울 공간이 없습니다. 정치인이 될 수 있는 교육 및 훈련 프로그램을 강화하여 미래의 인재들이 안목과 전문성을 갖출 수 있도록 지원해야 합니다. 동시에 시민들이 정치에 적극적으로 참여할 수 있도록 하는 교육 및 캠페인을 통해 정치에 대한 관심을 높여야 합니다.

좋은 인재는 국가 발전을 위한 비전과 전략을 수립하는데 도움을 줄 수 있습니다. 안목이 넓고 전문적인 지식을 갖춘 인재는 국가의 장기적인 이익을 고려한 의사결정을 할 수 있습니다. 국민들은 좋은 인재가 정치에 참여하면 정치체계에 대한 신뢰를 가질 가능성이 높습니다. 신뢰를 바탕으로 한 정치는 국민들과의 소통이 원활해지며 사회적 안정성을 유지할 수 있습니다.

- 국회 회기 중에는 지역구에 가지 말아야 합니다.

3 번 국회의원을 하는 동안은 몰랐지만 국회 사무총장을 하면서 새롭게 깨달은 사실이 있습니다. 우리나라 국회의 생산성 문제입니다. 미국 하원은 1 년에 평균 100 회의 본회의와 1000 회의 상임위, 100 회의 청문회를 개최합니다. 그에 비해 우리 국회는 연평균 본회의 37 회, 상임위 300 회, 청문회 27 회로 미국 하원의 3 분의 1 수준에 불과합니다 우리 국회는 법안을 남발한 후 심사는 대충 하는 구조가 되었습니다. 국민의

삶을 바꿀 수 있는 중요한 법안들에 대한 심도 깊은 논의가 국회에서 이루어 져야 합니다.

생산성 문제 ① - 본회의, 상임위 및 소위 일수가 적음

□ 해외 주요국가의 연간 본회의 일수

국가		본회의
대한민국[1]		37
미국[2]	상원	46
	하원	100
	계	146
영국 하원[3]		153
프랑스 하원[4]		105
독일 하원[5]		68

주1) 2022년 중 대한민국 국회에서 개최된 회의 수
주2) 미국 제117대 의회(2021.1.-2022.1.)에 개최된 회의 수
주3) 영국 의회 2021.5-2022.4 기간 중 개최된 회의 수
주4) 프랑스 제15대 의회 21.10-22.9 기간 중 개최된 회의 수
주5) 2022년 중 독일 연방하원에서 개최된 회의 수

<국회사무처 국제국 입법관>

□ 미국과 대한민국의 상임위원회 및 소위원회 일수

◦ 대한민국과 권력구조(대통령제)가 유사하고, 상임위원회를 중심으로 의회가 운영되
미국과 연간 상임위원회 및 소위원회 회의 수를 비교

국가		상임위원회	소위원회	합 계	상임위 수	상임위 당 회의 수
대한민국[1]		336	203	539	17	31.7
미국[2]	상원	1,722	298	2,020	20	101
	하원	1,873	1,143	3,016	22	137.1
	계	3,595	1,441	5,036	46 (양원 합동 4개)	109.5

주1) 2022년 중 대한민국 국회에서 개최된 회의 수
주2) 미국 제117대 의회(2021.1.-2022.1.)에 개최된 회의 수

<국회사무처 국제국 입법

생산성 문제 ② - '입법의 양' 중심 의정활동 → 규제공화국

국 가	제출	의결	가결률
대한민국	6,025	1,673	27.8%
미국	7,830	503	6.4%
영 · 불 · 독 평균	378	69	18.3%
영국	234	36	15.2%
프랑스	695	48	6.9%
독일	205	124	60.7%

<'17-'22년 기준 연간 평균치, 국회사무처 법제실>

이를 위해 미국과 같이 의정 달력을 도입하여 국회 일정을 미리 예측 가능하게 하고 생산적인 업무 운영을 도모해야 합니다. 또한 정기적인 본회의, 상임위원회, 청문회 등을 개최하여 법안 처리 속도를 높이고 국회 활동을 확대해야 합니다.

이를 위해서는 회기가 열리면 의정활동에만 집중하게 하는 제도적 장치를 검토해 볼 필요가 있습니다. 회기가 열리면 지역구에는 가지 못하게 하는 것도 방법입니다. 불필요한 법안 발의를 방지하기 위해 의원들에 대한 법안 발의에 일정의 기준을 도입하여 효율적인 법안 심사를 유도하는 것도 필요합니다. '규제입법정책처' 신설을 검토하여 규제에 대한 과도한 발의를 막고 규제 개선을 도모해야 합니다.

연간의사일정 캘린더를 만듭시다

2023 House Calendar

HOUSE CALENDAR
Majority Leader Steve Scalise | 118th Congress
January 2023

SUNDAY	MONDAY	TUESDAY	WEDNESDAY	THURSDAY	FRIDAY	SATURDAY
1	2	3	4	5	6	7
8	9 District Work Day	10	11	12	13	14
15	16	17	18	19	20	21
22	23 District Work Day	24	25	26	27	28
29	30	31				

생산성이 높은 국회는 다양한 법안들을 신속하게 검토하고 효과적으로 처리할 수 있습니다. 이는 국가의 발전을 위해 필요한 법적 기반을 빠르게 마련할 수 있도록 도와줍니다. 또한 효율적이고 생산적인 국회는 국가 경쟁력을 강화하는 데 기여합니다. 경쟁이 치열한 국제사회에서 법적인 환경이

신속하게 대응할 수 있다면 국가는 더욱 경제적으로 발전할 수 있습니다.

생산적인 국회는 국민들에게 정부와 국회에 대한 높은 신뢰를 구축할 수 있습니다. 국회의 업무 효율성은 국민들의 기대에 부응하는 것으로 인식되며, 국민과의 소통이 원활해질 것입니다.

- 600조 예산으로 일, 집, 교육 문제를 해결!

2024년 우리 예산은 657조입니다. 김대중 대통령부터 매 정권마다 100조씩 예산이 늘었습니다. 국가의 예산안은 매 정부마다 증가해왔지만, 그 결과로 국민의 삶이 개선되지 않고 오히려 어려움이 증가하고 있습니다. 우리는 예산의 효율성과 목적에 대한 재고가 필요하며, 국민의 현실적인 요구에 부합하는 방향으로 예산을 다시 설계해야 합니다.

정권마다 100조씩 늘어난 예산, 떨어진 삶의 질

주택

국토부 주택 예산 2.6조
주택도시기금 105.5조

- 도로 7.8조, 철도 7.6조
- 청약통장 100조, 수도권 투입
- 공공임대주택 지원 17.5조,
  대부분 융자사업

교육

증가하는 교육 예산
무너지는 공교육

- 교육부 예산 102조
- '22년 사교육비 총 26조
- PISA 성적, 학업성취도 하락
- 청소년 자살률, 교원 퇴직률 증가

농업

농림부 예산 17조원
늘어나는 농가 부채

- 전국 농가 103만 가구
- 순직불제 2.4조원 안팎 유지
- 농가 부채 증가세
  : '21년 3천659만원

주택은 국민의 기본적인 생활 필요 요소 중 하나입니다. 현재 주택에 투자되는 예산은 상대적으로 적은 편이며, 이로 인해 많은 국민들이 주택 문제로 고생하고 있습니다. 주택도시기금에 의존하는 대신 과감한 예산 투입을 통해 국민의 주거 환경을 개선하고, 주택 문제를 해결할 수 있는 방안을 모색해야 합니다.

교육은 국가 발전의 핵심이지만, 현재 교육 예산이 증가함에도 불구하고 학생 수는 감소하고 사교육비는 증가하고 있습니다. 교육 예산을 학생 중심으로 효율적으로 활용하고, 사교육비 부담을 줄일 수 있는 정책을 마련해야 합니다. 교육의 본질에 집중하고 학생들의 학업 환경을 개선하는 데 노력해야 합니다.

농촌 지원 예산은 현재 농가 수에 비해 과도하게 많은데, 그에 비해 농촌의 현실은 개선되지 않고 있습니다. 예산의 효율적인 사용과 함께 농촌의 구조적 문제를 해결하기 위해 정책을 재조정해야 합니다. 국가 차원에서 농촌 경제를 지속적으로 활성화하고 농업인의 삶의 질을 향상시켜야 합니다.

273조의 예산이 저출산 문제에 투입되었지만, 그 효과는 제한적입니다. 예산의 사용 방향을 다시 고민하고 저출산 문제를 해결할 수 있는 창의적이고 혁신적인 방안을 마련해야 합니다. 일부 예산을 다양한 프로그램과 지원책에 효율적으로 투자하여 가족 형성을 지원하고 어린이집, 교육, 주거 등의 요소를 개선해 나가야 합니다.

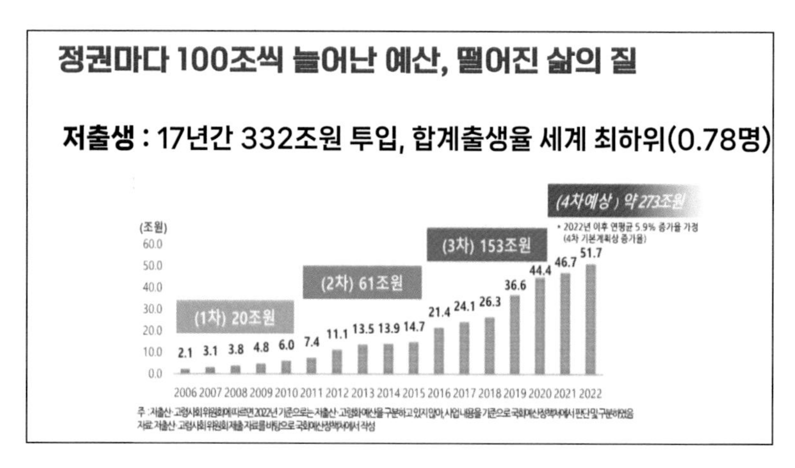

예산의 증가는 반드시 국민의 삶의 질 향상으로 이어져야 합니다. 미래를 대비하고 지속 가능한 개발을 위한 예산 운용 방안을 모색하고, 그로부터 나오는 수익을 국민 복지와 국가 발전

에 투자해야 합니다. 지속 가능한 개발과 환경 보전을 위한 예산 방향으로의 전환이 필요합니다. 또한 정부는 국민의 세금을 적절하게 운용해 국민의 복지 향상과 국가 발전을 위한 투자에 전념해야 합니다. 예산 사용의 투명성과 효율성을 강화하고, 세금 낭비를 방지하는 방안을 추진해야 합니다.

결론적으로, 국민의 삶을 향상시키기 위해서는 예산을 원점에서 재설계하고 국가의 우선 순위에 따라 효율적으로 운용해야 합니다. 국민의 현실적인 요구에 맞추어 지출을 조절하고, 미래를 대비한 지속 가능한 투자 방안을 모색해야 합니다. 국민 참여와 투명성을 강화하여 예산 운용에 대한 신뢰를 회복하고, 정부는 국민에 대한 책임을 다하며 예산을 성실하게 운용해야 합니다.

- 인사가 만사입니다.

국가의 발전과 안정은 그 근간에 있는 인재의 적재적소에 배치하는 것에 달려 있습니다. 현재 대한민국의 인사 체계는 문제점이 많이 드러나고 있습니다. 전리품정치와 낙하산 인사, 정치적 영향력에 의한 인사 등이 나라의 발전에 도움이 되지 않는다는 현실을 직시해야 합니다. 이에 따라 인사시스템을 재설계하여 대한민국의 미래를 위한 지속 가능한 인재 체계를 구축하는 것이 필수적입니다.

인사 체계는 국가의 안정성과 발전을 위해 정치적 영향력에서 벗어나야 합니다. 낙하산 인사와 같은 현상을 방지하고자 인사평가 및 임명에 있어서 정치적 영향을 배제하고 전문성과 능력을 기준으로 선발되어야 합니다.

인사 체계의 핵심은 인재의 역량과 윤리적 기준에 따른 평가입니다. 인사혁신처는 역량 중심의 평가 체계를 도입하여, 지속적인 역량 강화를 통해 국가의 다양한 분야에서 성과를 낼 수 있는 인재를 육성해야 합니다.

미래는 불확실성과 도전으로 가득합니다. 따라서 인사 체계는 미래 지향적 리더십을 육성하는 방향으로 전환되어야 합니다. 기존의 안목에만 기댄 것이 아니라 글로벌 시대에 걸맞은 광범위한 시야를 가진 리더를 키우는 것이 필요합니다.이와 함께 인사혁신처는 전문성 강화를 위한 교육과정을 개선해야 합니다. 기업의 CEO 처럼 다양한 시기에 다양한 전문성을 갖춘 인재들을 양성하는데 집중해야 하며, 국가의 중요한 지점에 일자리에 알맞는 전문인재를 배치해야 합니다.

전리품 정치를 타파해야 합니다.

'100대0' 낙하산 전성시대를 끝냅시다

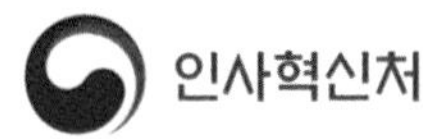

- 인사 혁신처 강화 : 추천 + 검증 + 교육
- 시장형 공기업에 민간 전문가 과감히 기용

- 포스코, KT 등 주식 1주 국가 보유 → 투명한 인사
- 고위공직자 검증 절차 투명화 + 인재 등용 요건 완화

- 낙선자 중심 '정당정책개발원' 설립

대한민국은 지금까지의 관행을 과감히 전환하고 선진 국가들의 효과적이고 투명한 인사 체계를 도입해야 합니다. 선진 국가들의 체계를 참고하여 국가의 지속 가능한 발전을 위한 인재를 발굴하고 키울 수 있는 시스템을 마련해야 합니다.

국민의 눈에 투명하게 비춰지는 인사 체계를 위해 국민 참여가 필요합니다. 국민의 의견을 수렴하고 국가의 미래를 함께 고민하는 플랫폼을 조성하여, 정책 결정에 국민들이 직접 참여할 수 있도록 하는 것이 중요합니다.

- 말이 법이 되는 정치가 되어야 합니다.

무신불립(無信不立)이라는 말에서 나오듯, 어떠한 조직이든 신뢰가 없으면 안정적으로 운영되기 어렵습니다. 특히 정치 분야에서는 국민들의 믿음을 얻지 못한다면 정부의 정책이나 법률적인 결정마저도 국민들에게 받아들여지지 않을 것입니다. 그렇기에 신뢰할 수 있는 정치가 중요하며, 이를 위해서는 다양한 측면에서 신뢰를 구축해 나가야 합니다.

신뢰를 얻기 위해서는 말과 행동이 일치해야 합니다. 정치인이 공약을 내놓았다면 그에 따라 행동하는 것이 필수적입니다. 예를 들어, 선거 공약으로 제시한 정책을 실현하지 않는다면 국민들의 눈에서 신뢰가 무너질 것입니다.

정치인들은 이기주의에 빠지지 않고 국민을 위한 정책 결정을 해야 합니다. 여당이 되었을 때와 야당이 되었을 때, 동일한 문제에 대해 일관성 있는 태도를 유지하는 것이 신뢰를 쌓는 중요한 부분입니다. 정책의 일관성은 신뢰의 기반이 됩니다. 정부가 변화하는 상황에 따라 유연하게 대처하되, 꾸준한 방향성을 유지하는 것이 중요합니다. 정책의 일관성이 유지된다면 국민들은 정부에 대한 믿음을 가질 수 있습니다.

정책 결정 과정에서 투명성은 필수입니다. 국민들에게 어떤 기준과 이유에 따라 특정 정책이나 법률이 결정되었는지

명확히 전달되어야 합니다. 투명성이 부족하면 국민들은 정부의 의도를 의심하게 되어 신뢰가 훼손될 수 있습니다.

정부는 국민과 꾸준한 의사소통을 유지해야 합니다. 국민들에게 정부의 계획, 상황, 그리고 어떠한 이유와 목적으로 특정 정책이 수립되었는지 적극적으로 설명하는 것이 신뢰의 기반이 됩니다.

정치는 국민들의 믿음을 기반으로 합니다. 신뢰할 수 있는 정치를 통해 나라는 안정적으로 발전하고, 국민들은 더 나은 미래를 기대할 수 있습니다. 무엇보다도 정치인 스스로가 국민들에게 신뢰받는 모범을 보이는 것이 가장 중요하며, 이를 통해 나라가 발전해 나가길 기대합니다.

- 국가가 국민을 두려워 해야지, 국민이 국가를 두려워 해서는 안됩니다.

국가가 국민을 두려워해야 하는 현상은 현대 민주주의 사회에서는 적절하지 않습니다. 과거에는 권력이 국민을 통제하고 압박하여 안정을 유지했습니다. 민주주의 체제에서는 권력이 국민을 위해 봉사하고 국민의 목소리를 존중해야 합니다.

과거에 있었던 정치적 중립의 부재와 권력의 남용으로 발생했던 문제들을 극복하기 위해 정치적 중립을 강조하는 것이 현명한 선택입니다. 국가의 권력이 정치적 중립을 유지하면 국민들은 정부와 국가 기관에 대한 신뢰를 보다 증진시킬 수 있습니다. 정치적 중립은 국민들이 공정하고 동등한 대우를 받을 것임을 보장하며, 이는 국가와 국민 간의 신뢰를 증대시킵니다.

권력이 중립적으로 분산되면 국가는 특정 정당이나 인물의 통제에서 벗어나 안정성을 확보할 수 있습니다. 권력 분산은 정치적 편향과 탄압을 방지하며, 국가가 국민을 위해 봉사하는 기능을 강화합니다.

권력의 정치적 중립은 민주주의 체제를 강화합니다. 국민들은 국가 기관들이 어떤 정치적인 이해관계에도 휘둘리지 않고 국민의 이익을 최우선으로 고려한다는 확신을 갖게 됩니다.

정치적 중립은 권력의 남용을 방지하고 공정한 사회를 구축하는 데 기여합니다. 국가가 정치적 중립을 갖추면, 국민들은 법과 원칙에 따라 공정한 대우를 받을 것으로 믿게 되며, 이는 사회의 안정성을 높입니다.

정치 중립화 위한 '권력기관특별법'

국민에 의한, 국민을 위한 권력기관 재탄생

- 범국가적 논의 기구

→ 권력기관 정치중립 특별법 제정

- 감사원 개혁

→ 정책 감사 근본적 재검토

오늘날의 현실은 권력기관이 정치적 중립을 잃고, 권력의 남용으로부터 자유롭지 못한 상태에 놓여 있는 것으로 보입니다. 이에 따라 권력기관을 위한 특별한 법률이 필요하며, 이를 통해 권력의 중립성을 강화하여 민주주의의 위기를 극복해 나가야 합니다.

정치적 중립은 국가와 국민 간의 상호 신뢰를 구축하는 기반입니다. 권력이 정치적 중립을 유지하면 국민들은 국가가 자신들을 위해 공정하게 봉사하고 있다고 믿게 됩니다. 이러한 신뢰 관계가 강화되면서 국가는 안정성을 유지하고 국민들은 민주주의 체제 아래에서 더 나은 삶을 기대할 수 있게 될 것입니다.

-국가를 설계할 싱크탱크가 필요합니다.

국가의 미래를 설계하고 이끌어 나가는 것은 막중한 책임과 역할을 필요로 합니다. 이에 대응하기 위해 국가 설계의 핵심 요소로서 싱크탱크의 중요성이 부각되고 있습니다.

국가는 마치 항해하는 선박과 같습니다. 목표지점을 정하고, 안전하게 도착하기 위해서는 적절한 항로와 설계가 필수입니다. 국가 역시 미래를 예측하고 예방하며, 선진화와 발전을 위한 체계적인 계획이 필요합니다. 국가를 미래로 이끄는 과정에서 정치적 중립성과 독립성이 보장된 민간 싱크탱크의 증가가 필요합니다. 정치권력에 도움을 주면 세무조사와 고발이라는 현상이 발생하는 현재의 상황은 국가 미래를 설계하는 데에는 부적절합니다. 국가 설계를 담당하는 싱크탱크는 정치적 중립성을 지키면서 국가 발전을 위한 전략과 방향성을 제시할 수 있어야 합니다.

북극성을 향해 가기 위해서는 설계도가 필요하듯이, 국가 역시 명확한 목표와 계획을 갖추어야 합니다. 달 착륙이라는 인류의 목표를 제시했던 미국의 아폴로 프로젝트에서처럼 도전 과제를 해결하고 국가의 미래를 개척하기 위한 체계적인 계획과 전략을 제시할 수 있는 싱크탱크가 필요합니다. 또한 국가 설계를 담당하는 싱크탱크는 미래 기술과 사회 발전에 대한 선도적인 역할을 수행해야 합니다. 이를 통해 국가는 급변하는 환경에서도 뒤처지지 않고 선진화를 이루어 나갈 수 있을 것입니다. 이러한 싱크탱크는 다양한 전문성과 참여를 통해 종합적이고 균형있는 결과물을 도출해야 합니다. 여러 분야의 전문가들과 국가 발전에 대한 비전을 나누며, 다양한 의견을 수렴하여 국가를 설계하는 것이 중요합니다.

싱크탱크의 중요성은 막연한 미래에 대한 불안을 해소하고 국가의 안정성과 지속적인 발전을 이루어 나가기 위해서는 더욱 증가할 것입니다. 국가 설계는 미래에 대한 비전과 목표를 갖추어야 하며, 이를 위해 정치적 중립성과 전문성을 갖춘 싱크탱크가 민간과 정부 간의 협력을 통해 지속적으로 발전해 나가야 할 것입니다. 국민들은 국가 설계를 담당하는 싱크탱크를 통해 안정적이고 지속적인 국가 발전을 기대할 수 있을 것입니다.

에필로그 :
정치만 잘하면 됩니다.

우수한 리더십은 국가의 미래를 향한 비전을 제시하는 데에서 시작됩니다. 식민지에서 독립까지, 미국의 조지 워싱턴이 국가의 독립을 선언하며 주도한 것처럼, 리더십은 미래를 상상하고 그에 대한 구상을 제시하는 능력이 필수적입니다. 싱가포르의 국부 리콴유 총리는 가난하고 미개한 나라에서 세계적인 경제 강국으로의 발전을 선언하였고, 이를 위한 비전과 목표를 제시했습니다. 그 결과, 싱가포르는 세계인이 부러워 하는 나라가 되었습니다.

리더십은 국가적인 단결을 이끌어내는 중요한 역할을 합니다. 이는 국가의 목표에 대한 시민들의 참여와 협력을 유도하는 것이 필수입니다. 예를 들어, 남아프리카 공화국의 넬슨 만델라는 인종차별과 분열된 사회를 통합하고 평화로운 변화를 이끌어냄으로써, 국민들에게 희망을 제시하고 국가적인 단결을 형성하였습니다.

난세(亂世)와 치세(治世)를 결정하는 것은 지도자와 국민이 같은 꿈을 꾸느냐에 달려있습니다. 국민 개개인이 자기 운명을 개척하기 위해 노력하듯이, 정치라는 것 자체가 변화를 해야 국민의 삶이 편해집니다.

오늘의 대한민국이 직면한 문제를 해결하기 위해서는 정치가 바뀌어야 합니다. 정치는 국가의 방향과 국민의 삶을 직접적으로 좌우하는 중요한 영역입니다. 앞으로의 성패는 지도자와 국민이 함께 노력하고 협력하여 새로운 운명을 개척하는 데에 달려있습니다.

정치는 대한민국의 미래를 결정짓는 열쇠입니다. 지도자와 국민은 함께 미래에 도전하고, 정치의 품질을 높이며, 국가를 발전시킬 데에 중요한 역할을 수행할 것입니다. 우리는 정치에 적극적으로 참여하고, 더 나은 대한민국을 만들기 위한 노력을 계속해야 합니다. 함께 노력하고 협력하여, 정치가 국민의 기대에 부응하며 국가의 미래를 밝게 만들 수 있을 것입니다. 우리가 함께 바꾸어 나갑시다.